This 2009 edition published by Impala Books, a division of Gazelle Book Services Limited
by arrangement with ABC MELODY Editions
ISBN : 978-1-85586-104-6

Printed in China.

SING & LEARN
french!

Music, lyrics & production : Stéphane Husar

Guitars : Bill Temm, Mark Anderson, Stéphane Husar
Saxophone : Adam Le Nevez
Voices : Stéphane Husar, Carmen Arquier, Chloe, Mélanie & Charlotte Boreham,
Lucie Béraud-Sudreau, Bertrand Lucat, Guillaume Henri,
Christelle Prime
Graphic Design : Jeanne-Marie Monpeurt, Rob Young
Cover Illustration : Mark Sofilas
Inside pictures : Adam Thomas

Welcome
to the fun world of ABC MELODY !

SING & LEARN FRENCH is a unique collection of 10 original songs that introduce children to the French language through music and pictures. It's as easy as ABC :

A Look at the pictures,
B Listen to the songs,
C Sing along in French and dance !

Each song is presented with the lyrics and an illustrated vocabulary list so that children can easily identify the theme of the song and learn elements of the language straight away. English translations of the songs are included at the end of the booklet.

Music styles are varied and introduce children to rhythm and movement. Instrumental versions are included on the CD for fun karaoke sessions at home or in the car. And parents can learn too !

Have fun !

The ABC MELODY Team

1 - Rapalphabet

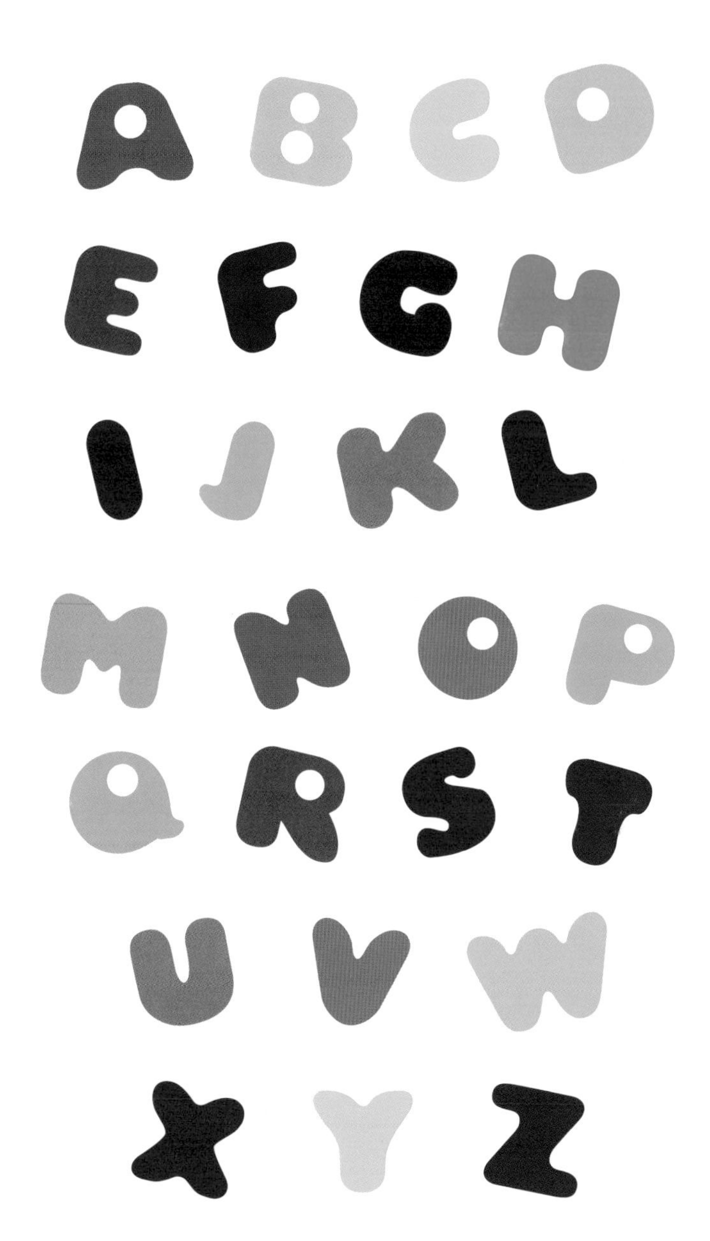

2 - Léon le caméléon

Léon le caméléon
Change de couleur,
quel polisson !
Léon le caméléon
Où est, où est Léon ?

Rose comme un cochon
Jaune comme un citron
Blanc comme un mouton
Où est, où est Léon ?

Léon le caméléon
Change de couleur,
quel polisson !
Léon le caméléon
Où est, où est Léon ?

Vert comme le gazon
Rouge comme un poisson
Bleu ou bien marron
Où est, où est Léon ?

Léon le caméléon
Change de couleur,
quel polisson !
Léon le caméléon
Où est, où est Léon ?

Noir comme du charbon
Orange comme du melon

On a trouvé Léon
Léon le polisson
Avec son frère Gaston
Dans un sac de bonbons

Rose comme un cochon
Jaune comme un citron
Blanc comme un mouton
Vert comme le gazon
Rouge comme un poisson

Bleu ou bien marron
Noir comme du charbon
Orange comme du melon
Chantez la chanson
La chanson de Léon...

un caméléon

les couleurs

rose

jaune

blanc

vert

rouge

bleu

marron

noir

orange

un polisson

un cochon

un citron

un mouton

le gazon

un poisson

du charbon

un melon

des bonbons

chanter

une chanson

3 - Dans ma rue

Dans ma rue,
Y a des maisons
Des p'tites maisons,
des grandes maisons
Et des immeubles
en béton !

Dans ma rue,
Y a des voitures
et des passants
Il y a des chats qui
dorment souvent
Et même des chiens
qu'aboient tout l'temps !

Dans ma rue

Dans ma rue,
La boulangerie
vend du bon pain
L'épicerie
vend du bon vin
Et la fleuriste
vend du jasmin !

Dans ma rue
Y a les pompiers
qui sont très grands
Y a la police,
c'est pas marrant !
Et le dentiste
qu'arrache les dents !

Dans ma rue

Et dans ma rue
Y a mon école
et mes copains
Des graffitis,
des beaux dessins !
Dans ma rue

Y a ma maison
et mon jardin
Y a ma famille
et les cousins
Y a ma tortue
et mes voisins
Dans ma rue,
on est très bien !

une rue

une maison

un immeuble

petit / grand

une voiture

un chat

un chien

une épicerie

une boulangerie

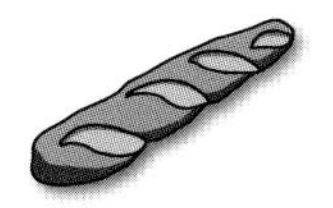

du pain

une fleuriste

un pompier

la police

le dentiste

une école

une famille

un jardin

une tortue

4 - Un, deux, trois !

Un canard,
deux souris
Et trois cochons
Trois belles queues
en tire bouchon !
Un canard,
deux souris
Et trois cochons
Hé, salut,
quel est ton nom ?

REFRAIN :
1,2,3, je m'appelle Karine,
1,2,3 !
1,2,3, et voici François,
1,2,3 !

Quatre pommes,
cinq oranges
Et six bonbons
Pour les filles
et les garçons
Quatre pommes,
cinq oranges
Et six bonbons
Hé, salut,
quel est ton nom ?

REFRAIN :
4,5,6, je m'appelle Alice,
4,5,6 !
4,5,6, et voici Francis
4,5,6 !

Sept autos,
huit vélos
Et neuf avions
Pour aller à la maison
Sept autos,
huit vélos
Et neuf avions
Hé, salut,
quel est ton nom?

REFRAIN :
7,8,9, je m'appelle Marion,
7,8,9 !
7,8,9, et voici Léon,
7,8,9 !

un, deux, trois, quatre, cinq, six, sept, huit, neuf, dix

un canard

une souris

un cochon

une queue

Quel est ton nom ?
Comment t'appelles-tu ?

Je m'appelle François

Je m'appelle Karine

une pomme

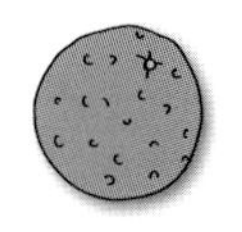

une orange

des bonbons

une fille

un garçon

une auto
une voiture

un vélo

un avion

une maison

5 - Deux pieds

J'ai deux pieds pour aller
A l'école et au marché
J'ai deux pieds
pour marcher
Pour courir et pour sauter

REFRAIN :
Hé, hé, hé
Deux mains, deux bras
Deux jambes, deux pieds
Hé, hé, hé
Deux yeux, une bouche
Deux oreilles et un nez

J'ai deux mains
pour toucher
Mes cheveux et
mes doigts de pieds
Deux mains pour caresser
Le gros chat de mon Pépé

REFRAIN

J'ai deux yeux,
j'ai deux yeux
Pour regarder la télé
Deux oreilles, deux oreilles
Pour écouter mes CD

REFRAIN

J'ai une bouche
pour manger
Les gâteaux de ma Mémé
J'ai une bouche pour parler
Pour chanter et rigoler

REFRAIN

J'ai aussi un petit nez
Pour sentir et respirer
J'ai aussi un petit nez
Pour sentir et me moucher

REFRAIN

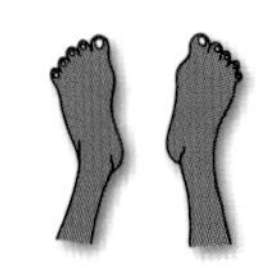
les pieds

les yeux

le nez

la bouche

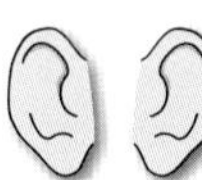
les oreilles

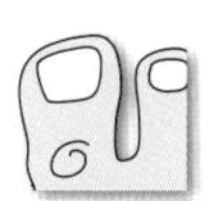
les doigts de pied
les orteils

les mains

les cheveux

toucher

manger

aller à l'école

rigoler

sentir

sauter

courir

marcher

chanter

écouter

regarder la télé

le pépé
le grand-père

la mémé
la grand-mère

un chat

un gâteau

6 - Madame l'araignée

Je dis bonjour avec une patte
Et au revoir avec une autre
Oh la la, c'est compliqué ! (bis)
Je dis bonjour avec une patte
Et au revoir avec une autre
Oh la la, c'est compliqué ! (bis)

REFRAIN :
Ohé ohé, Madame l'araignée
Pourquoi pourquoi,
vous pleurnichez ?

Ma troisième patte
joue du violon
Ma quatrième fait du café
Oh la la, c'est compliqué ! (bis)
Ma troisième patte
joue du violon
Ma quatrième fait du café
Oh la la, c'est compliqué ! (bis)

REFRAIN

Ma cinquième patte
fait un gâteau
Ma sixième allume la télé
Oh la la, c'est compliqué ! (bis)
Ma cinquième patte
fait un gâteau
Ma sixième allume la télé
Oh la la, c'est compliqué ! (bis)

REFRAIN

Ma septième patte
joue au basket
Mais la huitième
veut pas jouer !
Oh la la, c'est compliqué ! (bis)
Ma septième patte
joue au basket
Mais la huitième
veut pas jouer !
Oh la la, c'est compliqué ! (bis)

REFRAIN

une araignée

Bonjour !

Au revoir !

C'est compliqué !

pleurer, pleurnicher

jouer du violon

faire du café

faire un gâteau

allumer la télé

jouer au basket

premier, première

deuxième

troisième

quatrième

cinquième

sixième

septième

huitième

neuvième

dixième

7 - Un, deux, trois, aérobic !

Levez la tête,
levez les bras !
Baissez la tête,
baissez les bras !

1, 2, 3, 4, 5, 6, 7, 8, 9, 10 !

Tapez des mains,
Claquez des doigts !
Tapez du pied,
Sautez trois fois... 1,2,3 !

Tourne, tourne une fois
Balance, balance les bras !

REFRAIN :
Un, deux, trois, l'aérobic
C'est facile et c'est sympa
Un, deux, trois,
suis la musique
Chante et danse avec moi !

1, 2, 3, 4, 5, 6, 7, 8, 9, 10 !

Levez une jambe,
et baissez-la !
Fermez les yeux,
ne tombez pas !

Tourne, tourne une fois
Balance, balance les bras !

REFRAIN

... Allez, dansez !...

REFRAIN

lever la tête

baisser la tête

lever les bras

baisser les bras

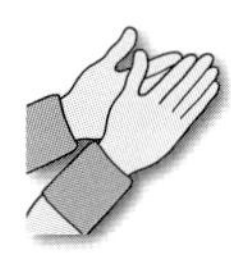

taper des mains

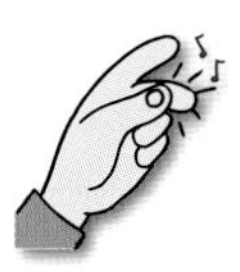

claquer des doigts

taper du pied

sauter

tourner

balancer les bras

fermer les yeux

chanter

danser

tomber

8 - C'est l'été

Aujourd'hui, c'est lundi
Et le ciel est tout gris
Aujourd'hui, c'est mardi
Il est bleu, c'est bien mieux !

REFRAIN :
Venez, dansez
Il fait beau, c'est l'été
Venez, chantez
Il fait chaud, ho ho !

Aujourd'hui, mercredi
Pas d'école les amis!
Aujourd'hui, c'est jeudi
Et demain, vendredi

REFRAIN

Aujourd'hui, c'est samedi
Pas de neige, pas de pluie
Dimanche soir, vite au lit !
La semaine est finie !

REFRAIN

lundi

mardi

mercredi

jeudi

vendredi

samedi

dimanche

le ciel

gris

bleu

danser

l'été

l'automne

l'hiver

le printemps

Il fait beau

Il fait chaud

la neige

la pluie

Au lit !

9 - La techno des animaux

Ils sont tout beaux
Ils sont tous là
Ils sont tous prêts pour la fiesta
Du Portugal ou d'Australie
De Tombouctou ou de Paris !

REFRAIN :
C'est la Techno des animaux
Des ouistitis et des chameaux
Des kangourous et des dingos
C'est la Techno des animaux
Des pingouins et des escargots
Des koalas et des oiseaux

Il y a Léon l'caméléon
Un mouton qui joue du violon
Un cochon qui chante une chanson
Et un poisson qui tourne en rond !

REFRAIN

Il y a Fanfan l'éléphant
Et Gaëtan le chien gourmand
Un ours blanc qui a mal aux dents
Et un serpent qui dort tout l'temps !

Animaux d'Asie, d'Océanie
D'amérique, d'Europe et d'Afrique
Animaux de tous les pays
Venez, dansez sur notre musique...

REFRAIN

une fête
une fiesta

des animaux

un ouistiti

un chameau

un kangourou

un dingo

un pingouin

un escargot

un koala

un caméléon

un mouton

un cochon

un poisson

un éléphant

un chien

un ours blanc

un serpent

10 - C'est Noël

La neige tombe
Le village est tout blanc
La lune est ronde
Dormez petits enfants !

Les cloches sonnent
Embrasse ta maman !
Un traîneau glisse
Glisse dans le vent

REFRAIN :
C'est Noël, on est content !
Joyeux Noël à tous les enfants !
Père Noël, on t'aime tant !
Joyeux Noël à tous les enfants !

La neige tombe
Le village est tout blanc
Le ciel est bleu
Debout petits enfants !
La crèche est belle
Le sapin est si grand
Un ange passe
Bientôt le Nouvel An !

REFRAIN

Noël

les cloches

un traîneau

le Nouvel An

le vent

La neige tombe
Il neige

le ciel

le village

le Père Noël

la neige

la crèche

blanc

le sapin

la lune

un ange

dormir

embrasser

les enfants

content

English Translations of Songs

1 - ABC RAP

ABCD
EFGH
IJKL
MNOP
QRST
UVW
XYZ

2 - LEON THE CHAMELEON

Leon the chameleon
Changes colours
How cheeky !
Leon the chameleon
Where is, where is Leon ?

Pink like a pig
Yellow like a lemon
White like a sheep
Where is, where is Leon ?

Leon the chameleon...

Green like the lawn
Red like a fish
Blue or brown
Where is, where is Leon ?

Leon the chameleon...

Black like coal
Orange like melon
They found Leon
With his brother Gaston
In a bag of lollies !

Pink like a pig
Yellow like a lemon
White like a sheep
Green like the lawn
Red like a fish
Blue or brown
Black like coal
Orange like melon
Come and sing the song
The song of Leon...

3 - ON MY STREET

On my street
There are houses
Small houses, big houses
And concrete buildings, too
On my street
There are cars and passers-by
There are cats that sleep often!
And even dogs that bark all the time!

On my street
The bakery sells good bread
The grocer sells good wine
And the florist sells jasmin

On my street
There are the firemen
Who are very tall !
There are the police
That's not much fun!
And the dentist who extracts teeth !

On my street
There's my house and my garden
My family and my cousins
My tortoise and my neighbours
On my street
We're very happy !

4 - ONE, TWO, THREE

One duck, two mice
And three pigs
Three pretty corkscrewshaped tails!
One duck, two mice
And three piggies
Hi there, what's your name ?

1,2,3 My name is Karine,
1,2,3 !
1,2,3, and here's Francois,
1,2,3 !

Four apples, five oranges
And six lollies
For girls and boys !
Four apples, five oranges
And six lollies
Hi there, what's your name ?

4,5,6 My name is Alice,
4,5,6!
4,5,6, and here's Francis,
4,5,6!
Seven cars, eight bicycles
And nine airplanes
To go home with
Seven cars, eight bicycles
And nine airplanes
Hi there, what's your name?

7,8,9 My name is Marion,
7,8,9 !
7,8,9, and here's Leon,
7,8,9 !

5 - TWO FEET

I have two feet for going
To school and to the market
I have two feet for walking,
Running and hopping !

Hey, hey, hey
Two hands, two arms
Two legs, two feet
Hey, hey, hey
Two eyes, a mouth
Two ears and a nose!

I have two hands for touching
My hair and my toes !
Two hands for stroking
My grandfather's fat cat !

Hey, hey, hey...

I have two eyes
I have two eyes for watching TV
Two ears, two ears
For listening to my CD's

Hey, hey, hey...

I have a mouth for eating
My granny's cakes!
I have a mouth for speaking,
Singing and laughing !

Hey, hey, hey...

I also have a small nose
For smelling and breathing
I also have a small nose
For smelling and blowing my nose !

Hey, hey, hey...

6 - MADAM SPIDER

I say hello with one leg
And goodbye with another !
Oh my goodness, it is difficult !
Oh my goodness, it is difficult !

Hey, hey, hey, Madam Spider !
Why, why are you whining ?

My third leg plays the violin
My fourth one makes coffee
Oh my goodness, it is difficult !
Oh my goodness, it is difficult !

Hey, hey, hey, Madam Spider !
Why, why are you whining ?

My fifth leg makes a cake
My sixth one turns on the telly
Oh my goodness, it is difficult !
Oh my goodness, it is difficult !

Hey, hey, hey, Madam Spider !
Why, why are you whining ?

My seventh leg plays
basketball
But the eighth one doesn't
want to play !
Oh my goodness, it is difficult !
Oh my goodness, it is difficult !

Hey, hey, hey, Madam Spider !
Why, why are you whining ?

7 - ONE, TWO, THREE, AEROBICS !

Heads up, arms up !
Heads down, arms down !
1,2,3,4,5,6,7,8,9,10 !

Clap your hands !
Snap your fingers !
Stamp your feet,
Hop three times 1,2,3 !
Turn around, Turn around once
Swing, swing your arms up
and down

1,2,3, aerobics !
It's easy and it's cool !
1,2,3, follow the music
Sing and dance with me !
1,2,3,4,5,6,7,8,9,10 !

Raise a leg and bring it down !
Close your eyes, don't fall over !
Turn around, Turn around once
Swing, swing your arms
up and down

1,2,3, aerobics !
It's easy and it's cool !
1,2,3, follow the music
Sing and dance with me !

(Come on, dance along !)
1,2,3, aerobics...

8 - IT IS SUMMERTIME

Today is Monday
And the sky is grey !
Today is Tuesday
It is blue, that's much better !

Come and dance !
The sun is shining
It is summertime !
Come and sing
It is warm !

Today, Wednesday
No school today my friends !
Today is Thursday
And tomorrow Friday !

Come and dance...

Today is Saturday
No snow, no rain !
Sunday night
Quick... off to bed !
The week is over !

Come and dance...

9 - THE ANIMAL'S TECHNO DANCE

They're very beautiful
They're all here
They're all ready for the party !
From Portugal or Australia
From Timbuktu or Paris!

This is the Animals' Techno !
The dance of monkeys and
camels
Of kangaroos and dingoes
This is the Animals' Techno !
The dance of penguins
and snails
Of koalas and birds !
There is Leon the chameleon
And a sheep that plays
the violin
A pig that sings a song
And a fish that swims in circles !

There's Fanfan the elephant
And Gaetan the greedy dog !
A polar bear with a toothache !
And a snake that sleeps
all the time !

Animals from Asia, Oceania
America, Europe and Africa
Animals from all countries
Come and dance to our music !

This is the Animals' Techno...

10 - IT IS CHRISTMAS

The snow is falling
The village is completely white
The moon is round
"Go to sleep little children !"

The bells are ringing
Kiss your mum good night
A sledge slips away
Slips away with the wind

It's Christmas, we're happy !
(Merry Christmas
to all the children !)
Santa, we love you so much !
(Merry Christmas to
all the children !)

The snow is falling
The village is completely white
The moon is round
"Get up little children !"

The crib is beautiful
The Christmas tree is so tall !
An angel passes by
Soon, it will be New Year...

It's Christmas, we're happy...